Inglés sin Barreras

El Video-Maestro de Inglés Conversacional

10 Conversación Informal

Manual

Para información sobre
Inglés sin Barreras
en oferta especial de
Referido Preferido
1-800-305-6472
Dé el Código 03429

Focus 70# matte web

Dedicatoria

Dedicamos este curso a todos los hispanos que tomaron la iniciativa de traer el idioma inglés a sus vidas para expandir sus horizontes. Los sueños pueden convertirse en realidad. Con gran respeto y afecto,

Sus amigos de Inglés sin Barreras

Metodología	Center for Applied Linguistics
Texto	Karen Peratt, Cristina Ribeiro
	Center for Applied Linguistics
	International Media Access Inc.
Ilustraciones	Gabriela Cabrera
Diseño gráfico	Gabriela Cabrera, José Luis Quilez,
	Leena Hannonen/MACnetic Design,
	David Kaestle, Inc., Martin Petersson
Guión adaptado - inglés	Karen Peratt
Guión adaptado - español	Cristina Ribeiro
Edición	Horacio Gosparini, Yuri Murúa,
	Damián Quevedo, Mike Ramirez
Aprendamos viajando	Marcos Said, Pablo Moreno, Alfredo León
Música	Erich Bulling
Diseño gráfico – video	Marcos Said
Fotografía	Alejandro Toro, Alfredo León
Producción en línea	Miguel Rueda
Dirección - video	Loretta G. Seyer, Patricio Stark
Coordinación de proyecto	Cristina Ribeiro
Dirección de proyecto	Karen Peratt
Directora ejecutiva	Valeria Rico
Productor ejecutivo y director creativo	José Luis Nazar

Conversación Informal

Índice

1 Notas

Lección

1

1 Notas

Le recomendamos que lea las palabras del vocabulario antes de ver el video correspondiente a esta lección. Éstas son las palabras más importantes de esta lección.

promotion	*ascenso*
qualifications	*requisitos, título*
situation	*situación*
responsibility	*responsabilidad*
salesperson	*vendedor(a)*
assistant manager	*ayudante de gerencia*
original	*original*
rude	*grosero(a), maleducado(a)*
polite	*educado(a), cortés*
relationship	*relación*
while	*mientras*
small talk	*charla de carácter superficial o informal*
(to) supervise	*supervisar*
(to) make small talk	*tener una charla de carácter superficial o informal*
(to) whisper	*susurrar*
(to) imagine	*imaginar*
(to) take a break	*tomarse un descanso*
(to) explain	*explicar*

Más vocabulario

Keep me posted.	*Mantenme al corriente.*
I don't think so.	*Creo que no.*
Take a guess.	*Adivina.*
for instance	*por ejemplo*
football game	*partido de fútbol*
half time	*descanso*

Elementos esenciales

Esta sección destaca los elementos básicos de esta lección. Lea detenidamente lo que incluimos en ella.

a break	*una pausa*
(to) take a break	*hacer una pausa, tomarse un descanso*
polite	*cortés*
impolite (or rude)	*descortés, maleducado(a)*
formal	*formal*
informal	*informal*
personal	*personal*
impersonal	*impersonal*

A p r e n d a   y   p r a c t i q u e

Le recomendamos que aprenda las expresiones y oraciones que se incluyen en esta lección. Practique usando lo aprendido cada día.

Have I ever been late?
¿He llegado tarde alguna vez?

Have you ever eaten paella?
¿Has comido paella alguna vez?

Has he ever gone ice skating?
¿Ha ido a patinar sobre hielo alguna vez?

Has she ever tried coconut ice cream?
¿Ha probado helado de coco alguna vez?

Has he ever studied German?
¿Ha estudiado alemán alguna vez?

Have we ever drank beer?
¿Hemos tomado cerveza alguna vez?

Have they ever taken a train to New York?
¿Han tomado un tren a Nueva York alguna vez?

Have you ever been late?
¿Ha llegado usted tarde alguna vez?
  Yes, I have./No, I haven't
  Sí. / No.

Has she ever eaten paella?
¿Ha comido paella alguna vez?
  Yes, she has. / No, she hasn't.
  Sí. / No.

Have you seen that movie?
¿Ha visto usted esa película?

Have you eaten lunch?
¿Has almorzado?

Have you ever seen a French movie?
¿Ha visto usted una película francesa alguna vez?

Have you ever eaten pizza?
¿Ha comido usted pizza alguna vez?

Apuntes

Ascensos

Si usted está cumpliendo satisfactoriamente con su trabajo y le gustaría asumir más responsabilidades, debería hablar con su supervisor acerca de un ascenso. Un ascenso implica generalmente más responsabilidad y más sueldo. Le recomendamos que dé los siguientes pasos antes de conversar con su jefe.

1 Haga una lista de los logros obtenidos y del trabajo realizado en la compañía.
2 Prepárese para explicar sus aptitudes y experiencia.
3 Asegúrese de poder explicar con claridad sus objetivos profesionales.
4 Concierte una cita con su supervisor.

Su supervisor debería agradecer la oportunidad de hablar con usted sobre su futuro en la compañía. Sea honesto al hablar de sí mismo y al describir sus objetivos, y no se olvide de ser cortés. A veces, no es posible conseguir un ascenso, mayores responsabilidades o un aumento de sueldo. Si éste fuera el caso, pídale consejo a su supervisor o gerente. Él puede ayudarle dándole consejos para mejorar su rendimiento u ofreciéndole alternativas que le permitan conseguir un ascenso, como por ejemplo, trabajar en otro departamento de la compañía.

El uso de "ever"

Ever indica "en algún momento del pasado". Se incluye con frecuencia en preguntas generales tales como **Have you ever been to Chicago?** (¿Ha estado en Chicago alguna vez?) En estas preguntas, la forma del verbo principal es la misma que la que de las preguntas que sólo incluyen **have**. Veamos algunos ejemplos.

Have you called your brother today?
¿Has llamado a tu hermano hoy?
Have you ever called your cousin in Toronto?
¿Has llamado a tu primo de Toronto alguna vez?

Have you seen that movie?
¿Ha visto usted esa película?
Have you ever seen a French movie?
¿Ha visto usted una película francesa alguna vez?

Have you eaten lunch?
¿Ha almorzado usted?
Have you ever eaten pizza?
¿Ha comido usted pizza alguna vez?

Se pueden usar respuestas cortas para contestar a esta clase de preguntas.

Have you ever seen a French movie?
 Yes, I have. / No, I haven't.
¿Has visto una película francesa alguna vez?
 Sí. / No.

Las preguntas con **ever** le permiten relacionarse con compañeros de trabajo y hacer nuevas amistades.

"Small talk"

Mantener una charla informal no es tan fácil. Hay que tener en cuenta muchos factores:

¿Cuán formal es la situación? ¿Está usted hablando con un buen amigo?
¿Con sus compañeros de trabajo? ¿Con su jefe?
¿Dónde están hablando? ¿En el trabajo? ¿En una fiesta? ¿En la iglesia?

Pensar en ello le ayudará a decidir cuáles son los temas de conversación más adecuados y cuán personales deberán ser sus preguntas y respuestas. Hay algunos temas que son demasiado personales como para discutirlos en una charla informal. Es preferible evitar los temas relacionados con precios y sueldos. Tampoco es apropiado dar detalles acerca de la salud y de la religión.

I'd rather not say.	*Preferiría no comentarlo.*
I don't know.	*No sé.*
I forgot.	*No lo recuerdo.*
I'm not sure.	*No estoy seguro.*

Piense en los lugares donde suele mantener charlas informarles. ¿Puede dibujarlos en un diagrama como éste?

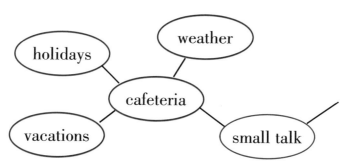

1 Clase

Los diagramas le permiten organizar la información. Muestran las diferencias y similitudes entre varios temas.

Opuestos

polite	impolite (or rude)
cortés	*maleducado(a)*
personal	impersonal
personal	*impersonal*
formal	informal
formal	*informal*

A menudo, la forma negativa de una palabra se construye con el prefijo **im** o **in**. ¿Conoce otras palabras que tengan el mismo prefijo? Veamos algunas.

appropriate	inappropriate
adecuado(a)	*inadecuado(a)*
considerate	inconsiderate
atento(a)	*desconsiderado(a)*
significant	insignificant
importante	*insignificante*

Un es otro prefijo que significa "no". Fíjese en estas palabras.

important	unimportant
importante	*sin importancia*
real	unreal
real	*irreal*
believable	unbelievable
creíble	*increíble*
attractive	unattractive
atractivo	*sin atractivo*

El empleado del mes

En inglés, hay muchas expresiones parecidas a **employee of the month** (el empleado del mes).

He aquí algunos ejemplos.

manager-of-the-month	*el gerente del mes*
salesman-of-the-year	*el vendedor del año*
movie-of-the-week	*la película de la semana*
special-of-the-day	*la oferta especial del día*
sale-of-the-century	*la venta del siglo*
end-of-the-season-sale	*liquidación de final de temporada*

1 Diálogo

Éste es el texto completo del diálogo incluido en el video. Usted hará el papel del espectador (viewer). Si le hacen una pregunta personal, conteste usando información personal. Tenga en cuenta que las respuestas del espectador que le proporcionamos no son las únicas respuestas correctas.

Viendo el partido

Amy	Wow! This is a great game! *¡Vaya! ¡Este juego es fantástico!*
Robert	It sure is. I am so happy my team is winning! *Desde luego. ¡Me hace tan feliz que mi equipo esté ganando!*
Kathy	Well, I'm not happy. My team is losing. *Bueno, yo no estoy contenta. Mi equipo está perdiendo.*
Ann	Hey, no fighting! Let's talk about something else. *¡Eh, no discutamos! Hablemos de otra cosa.*
Kathy	Football is okay, but I like soccer. *El fútbol americano está bien, pero a mí me gusta el fútbol.*
Amy	Do you play soccer? *¿Juega usted al fútbol?*
Viewer	Yes, I do./No, I don't. Do you? *Sí. / No. ¿Y usted?*

Amy	Me? No. *¿Yo? No.*
Robert	I play every Saturday with a group of friends, including Kathy. *Yo juego todos los sábados con un grupo de amigos, Kathy incluida.*
Amy	Really? Where do you play? *¿De verdad? ¿Dónde juegan?*
Robert	We play at the park… *Jugamos en el parque...*
Kathy	…the one near the school. *… el que está cerca de la escuela.*
Amy	I know that park. I've played tennis there before. You should come to the park with me and play tennis sometime. *Oh, conozco ese parque. He jugado al tenis ahí.* *Debería usted venir al parque a jugar al tenis conmigo alguna vez.*
<u>Viewer</u>	<u>Thanks, I'd like to.</u> *Gracias, me gustaría.*
Ann	Does anyone want more soda? *¿Alguien quiere más refresco?*
Kathy	I'll have some, please. Amy, I saw your new car. It's very nice. *Yo quiero uno, por favor.* *Amy, vi tu nuevo automóvil. Es muy lindo.*

15

Amy

Yes. I bought it last week.
Sí. Lo compré la semana pasada.

Robert

I saw it, too. It is nice. How much did it cost?
Yo también lo vi. Es lindo. ¿Cuánto costó?

Amy

Oh, the price wasn't too bad.
Hey, look! What a play!
Oh, no fue tan caro.
¡Eh, miren! ¡Qué jugada!

Lección 2

2 Notas

Le recomendamos que lea las palabras del vocabulario antes de ver el video correspondiente a esta lección. Éstas son las palabras más importantes de esta lección.

airplane	*avión*
moon	*luna*
coffee break	*descanso para tomar café*
co-worker	*compañero(a) de trabajo*
workplace	*lugar de trabajo*
appointment	*cita*
definite	*definitivo(a)*
must	*deber*
probability	*probabilidad*
possibility	*posibilidad*
business trip	*viaje de negocios*
team	*equipo*
dangerous	*peligroso(a)*
politics	*política*
religion	*religión*
gossip	*chisme, cotilleo*
price	*precio*
(to) participate	*participar*
enjoyable	*agradable, divertido*
(to) improve	*mejorar*
(to) avoid	*evitar*
(to) allow	*permitir*
(to) get back to	*volver a / regresar a*
(to) get married	*casarse*

Aprenda y practique

Le recomendamos que aprenda las expresiones y oraciones que se incluyen en esta lección. Practique usando lo aprendido cada día.

I have never visited New York.
Nunca he visitado Nueva York.

You have never seen her cousin.
Nunca has visto a su primo.

He has never lived in San Francisco.
Él nunca ha vivido en San Francisco.

She has never taken a photo of his family.
Ella nunca ha tomado una foto de su familia.

He has never spoken Italian.
Él nunca ha hablado italiano.

We have never thought that.
Nunca hemos pensado eso.

They have never gone to school there.
Ellos nunca han ido a la escuela allí.

Have you ever eaten sushi?	*¿Ha comido sushi alguna vez?*
Yes, I have.	*Sí.*
No, never.	*No, nunca.*
No, I haven't.	*No.*
No, I have never eaten sushi.	*No, nunca he comido sushi.*

Apuntes

Chismes

Las charlas informales pueden tener una influencia positiva en el lugar de trabajo pero los chismes suelen tener una influencia negativa. Las charlas informarles le permiten relacionarse con compañeros de trabajo y enterarse de las novedades de la compañía. Sin embargo, cuando se cuentan chismes, ¡se hacen comentarios a espaldas de la gente!

Nunca

Never significa nunca, jamás. Una oración con la palabra **never** se forma de acuerdo con el siguiente modelo:
have + never + el verbo en pasado.

> I have never eaten sushi.
> *Nunca he comido sushi.*

> They have never seen that TV show.
> *Ellos no han visto nunca ese programa de televisión.*

Usted puede contestar **never** a una pregunta que incluye la palabra **ever**.

Have you ever eaten sushi?	*¿Has comido sushi alguna vez?*
Yes, I have.	*Sí.*
No, never.	*No, nunca.*
No, I haven't.	*No.*
No, I have never eaten sushi.	*No, nunca he comido sushi.*

Has she ever studied Japanese?
¿Ha estudiado japonés alguna vez?

Yes, she has.	*Sí.*
No, never.	*No, nunca*
No, she hasn't.	*No.*

No, she has never studied Japanese.
No, ella nunca ha estudiado japonés.

"Might" y "Must"

Might indica posibilidad en el presente o el futuro. Se usa en oraciones positivas y negativas.

I might leave now.
Puede que me vaya ahora.

I might not stay.
Puede que no me quede.

I might go to a movie on Saturday.
Puede que vaya a ver una película el sábado.

I might not go to school tomorrow.
Puede que no vaya a la escuela mañana.

Must indica posibilidad en el presente y el futuro. Se utiliza principalmente en oraciones positivas.

> She's not here today. She must be sick.
> *Ella no está aquí hoy. Debe de estar enferma.*

> He must have seen this movie.
> *Él debe de haber visto esta película.*

Might y **must** no se suelen usar en preguntas.

Verbos auxiliares

Might y **must** son verbos auxiliares. **Can, could, may, should, will** y **would** también son verbos auxiliares. En una oración, los verbos auxiliares se colocan siempre antes del verbo principal.

> I could meet you at 4:00.
> *Yo podría reunirme con usted a las cuatro.*

> She will watch the video tonight.
> *Ella verá el video esta noche.*

Algunos verbos auxiliares, como por ejemplo, **can, could, should, will** y **would**, pueden usarse con la palabra **not**.

> I can't meet you at 4:00.
> *Yo no puedo reunirme con usted a las cuatro.*

She won't watch the video tonight.
Ella no verá el video esta noche.

They shouldn't eat so much candy.
Ellos no deberían comer tantas golosinas.

Todos estos verbos auxiliares, con excepción de **might** y **must**, pueden usarse para hacer preguntas.

Can you meet us tomorrow morning?
¿Puede reunirse con nosotros mañana por la mañana?

Will you be early or late?
¿Llegará usted temprano o tarde?

Should we go home or stay?
¿Deberíamos irnos a casa o quedarnos?

Verbos auxiliares en respuestas cortas

Los verbos auxiliares se usan con frecuencia en las respuestas cortas.

Can you go with us on Saturday?
  Yes, I can.
  No, I can't.
  I can't.

¿Puedes ir con nosotros el sábado?
  Sí.
  No.
  No puedo.

En ciertos casos, las respuestas incluyen un verbo auxiliar diferente al de las preguntas.

Should I fill out the application?   ¿Debería llenar la solicitud?
   You must.   Tiene que hacerlo.

Should we stay home tonight?   ¿Deberíamos quedarnos en casa esta noche?

   We could.   Podríamos hacerlo.

Si el verbo de la pregunta es **to be,** use la forma correcta de **to be** en la respuesta.

Will he be at the interview?   ¿Estará él en la entrevista?
   He might be.   Puede que sí.

Can you be home by 11:00?   ¿Puedes estar en casa antes de las once?
   I should be.   Debería poder hacerlo.

Palabras de significado contrario

dangerous	safe
peligroso(a)	*seguro(a)*
qualified	unqualified
competente	*incompetente*

promotion
ascenso

demotion
descenso (de categoría)

responsible
responsable

irresponsible
irresponsable

enjoyable
agradable

unenjoyable
desagradable

(to) get married
casarse

(to) get divorced
divorciarse

Éste es el texto completo del diálogo incluido en el video. Usted hará el papel del espectador (viewer). Si le hacen una pregunta personal, conteste usando información personal. Tenga en cuenta que las respuestas del espectador que le proporcionamos no son las únicas respuestas correctas.

Encuentro en la cafetería

Kathy	Hi, Tom. *Hola, Tom.*
Tom	Hi, Kathy. So, how's the coffee today? *Hola, Kathy. Así que, ¿cómo está el café hoy?*
Kathy	Oh, it's not bad, but I like the coffee at the coffee shop better. *Oh, no está mal, pero me gusta más el café de la cafetería.*
Tom	Me, too. So, how's your work with Mr. Gordon going? *A mí también. Así que, ¿cómo va tu trabajo con el Sr. Gordon?*
Kathy	Great! It's very interesting, and he is very nice. *¡Muy bien! Es muy interesante y él es muy agradable.*
Tom	I know. I worked on his team last year. *Lo sé. Trabajé en su equipo el año pasado.*
Kathy	Oh, I wanted to tell you that I really like your sunglasses. What do you think? *Oh, quería decirte que tus lentes de sol me gustan de verdad. ¿Y a usted qué le parece?*

<u>Viewer</u>	<u>They look very nice.</u> *Son muy lindos.*
Tom	Thanks! I like them. *¡Gracias! Me gustan.*
Kathy	I think they look terrific. You look like a movie star! *Creo que son geniales. ¡Pareces una estrella de cine!*
Tom	Thanks. Oh, well... thank you. *Gracias. Oh, bueno... gracias.*
Kathy	I need to get new sunglasses soon. *Tengo que comprarme pronto lentes de sol nuevos.*
Tom	You should go to the place on Green Street! They've been selling the most stylish sunglasses for years. *¡Deberías ir al lugar de la calle Green!* *Llevan años vendiendo los lentes de sol más elegantes.*

Kathy	I will. Thanks. Well, I should get back to work. *Así lo haré. Gracias.* *Bueno, debo volver al trabajo.*
Tom	Me, too. See you later? *Yo también. ¿Nos vemos luego?*
Kathy	Sure. Bye. *Claro. Adiós.*
Tom	Bye. *Adiós.*

Notas

Pronunciación

Le recomendamos que lea las palabras del vocabulario antes de ver el video correspondiente a esta lección. Éstas son las palabras más importantes de esta lección.

busboy	*ayudante de mesero(a)*
delicious	*delicioso(a)*
(to) disagree	*no estar de acuerdo, estar en desacuerdo con*
(to) agree	*estar de acuerdo*
emphasis	*énfasis*
(to) reply	*contestar*
(to) dance	*bailar*
waltz	*vals*
(to) memorize	*aprender de memoria, memorizar*
sunrise	*amanecer*
opera	*ópera*
goalie	*portero (de fútbol), guardameta, arquero*
kilometer	*kilómetro*
(to) get older	*hacerse mayor, crecer, envejecer*
(to) indicate	*indicar, señalar*
sports	*deportes*

A p u n t e s

El acento en las respuestas cortas

Recuerde que los verbos auxiliares **have, can, should, will, may, might,** y **could** sólo se acentúan si tienen un significado especial en la oración

You shouldn't do that.	*No deberías hacer eso.*
Yes, I should do that.	*Sí, debería hacerlo.*

o si se usan en las respuestas cortas.

Can you dance?	*¿Sabe usted bailar?*
Yes, I can.	*Sí.*

Have you ever eaten paella?	*¿Ha comido paella alguna vez ?*
Yes, I have.	*Sí.*

Conversaciones

En una charla informal, es aconsejable dar información adicional y no atenerse únicamente a lo estrictamente necesario.

Have you ever been to New York?
Yes, I have. My family went last summer.
¿Ha estado en Nueva York alguna vez?
Sí. My familia fue a Nueva York el verano pasado.

Did you have a good time?	*¿Lo pasó usted bien?*
Yes, we enjoyed seeing	*Sí, disfrutamos de la visita a*
the Statue of Liberty.	*la Estatua de la Libertad.*

3 Notas

Lección

3

3 Notas

Le recomendamos que lea las palabras del vocabulario antes de ver el video correspondiente a esta lección. Éstas son las palabras más importantes de esta lección.

bill	*factura, cuenta*
invitation	*invitación*
curious	*curioso(a)*
me	*me*
you	*te, le, les*
him	*le*
her	*le*
it	*le*
us	*nos*
them	*les*
whom	a quién, al que, a la que
(to) worry about	*estar preocupado(a) por*
(to) get started	*empezar, comenzar*
(to) replace	*sustituir, reemplazar*
(to) pass	*pasar*
(to) smell	*oler*
(to) taste	*probar*

Más vocabulario

mine	*mío(a), míos(as)*
yours	*tuyo(a), tuyos(as)*
	suyo(a), suyos(as) (de usted)
his	*suyo(s) (de él)*
hers	*suya(s) (de ella)*
its	*suyo(s) (de ello)*
ours	*nuestro(a), nuestros(as)*
theirs	*suyo(s) (de ellos)*
	suya(s) (de ellas)
myself	*yo mismo(a)*
yourself	*tú mismo(a), usted mismo(a)*
himself	*él mismo*
herself	*ella misma*
itself	*se, sí*
ourselves	*nosotros mismos*
themselves	*ellos(ellas) mismos(as)*
It won't take long.	*No tomará mucho tiempo.*
	No tardará mucho.
ma'am	*señora*
sir	*señor*
video	*video*

Elementos esenciales

Esta sección destaca los elementos básicos de esta lección.
Lea detenidamente lo que incluimos en ella.

I	my	me	mine	myself
you	your	you	yours	yourself
he	his	him	his	himself
she	her	her	hers	herself
it	its	it	its	itself
we	our	us	ours	ourselves
you	your	you	yours	yourselves
they	their	them	theirs	themselves

Cesar is in class today.   He is in class.
César está en clase hoy.   *Él está en clase.*
I gave my book to Cesar.   I gave my book to him.
Yo le di mi libro a César.   *Yo le di mi libro a él.*

Aprenda y practique

Le recomendamos que aprenda las expresiones y oraciones que se
incluyen en esta lección. Practique usando lo aprendido cada día.

Martin called me.	*Martin me llamó.*
you.	*Martin te llamó, le llamó.*
him.	*Martin le llamó.*
her.	*Martin la llamó.*
it.	*Martin lo llamó.*
you.	*Martin les llamó.*
us.	*Martin nos llamó.*
them.	*Martin les llamó.*

39

Did Margaret give the book <u>to Andy?</u>
¿Le dio Margaret el libro   a Andy?

<u>to Paul?</u>	<u>to him?</u>
a Paul?	*a él?*
<u>to Mary?</u>	<u>to her?</u>
a Mary?	*a ella?*

Did Margaret give the book <u>to me and Kim?</u>   <u>to us?</u>
¿Nos dio Margaret el libro a mí y a Kim?   *a nosotros?*

Did Margaret give the book <u>to you and Ann?</u>   <u>to you?</u>
¿Les dio Margaret el libro a usted y a Ann?   *a ustedes?*

<u>to Paul and Mary?</u>	<u>to them?</u>
a Paul y Mary?	*a ellos?*

This is <u>my book.</u>   mine.
Éste es mi libro.   *mío.*

The blue notebook is <u>your notebook.</u>   <u>yours.</u>
El cuaderno azul es tu cuaderno.   *tuyo.*

That cap is <u>Paul's.</u>   <u>his.</u>
Esta gorra es de Paul.   *suya.*

40

Is this coat Louise's?   hers?
¿Es ésta la chaqueta de Louise?   *¿la suya?*

The old one is our car.   ours.
El viejo auto es nuestro auto.   *el nuestro.*

Have you seen their dog?   theirs?
¿Has visto a su perro?   *¿el suyo?*

I wrote this report   myself.
Escribí este informe   *yo mismo.*

You wrote this report   yourself.
Escribiste este informe   *tú mismo.*

He wrote this report   himself.
Escribió este informe   *él mismo.*

She wrote this report   herself.
Escribió este informe   *ella misma.*

We wrote this report   ourselves.
Escribimos este informe   *nosotros mismos.*

You wrote this report   yourselves.
Escribieron este informe   *ustedes mismos.*

They wrote this report   themselves.
Escribieron este informe   *ellos mismos.*

A p u n t e s

Pronombres especiales

Un pronombre reemplaza a un sustantivo en una oración. En algunas oraciones, el pronombre está delante del verbo.

Anita was late today.	*Anita llegó tarde hoy.*
She was late.	*Ella llegó tarde.*

She reemplaza a Anita.

Veamos otra clase de pronombres.

I called my sister.	*Yo llamé a mi hermana.*
I called her.	*Yo la llamé.*

En estas oraciones **her** reemplaza a **my sister**. En estas oraciones, el pronombre está después del verbo. Estos pronombres contestan a las preguntas: **to whom?** (¿a quién?) o **for whom?** (¿para quién?).

You gave the glasses to whom?
¿A quién le diste los lentes?

I gave the glasses to my mother.
Le di los lentes a mi madre.

You gave the glasses to your mother?
¿Le diste los lentes a tu madre?

Yes, I gave the glasses to her.
Sí, le di los lentes a ella.

Hay otro grupo de pronombres.

This is my book.
Éste es mi libro.

This is mine.
Éste es mío.

I left my book on the bus.
Dejé mi libro en el autobús.

I left it on the bus.
Lo dejé en el autobús.

En este tipo de oraciones, el pronombre especial **it** reemplaza a **my book**. Sólo podemos usar estos pronombres especiales si sabemos cuál es el sustantivo que están reemplazando. Decir **I left it on the bus** no tiene sentido a menos que sea obvio que **it** se refiera a **my book**.

Ambos grupos de pronombres especiales son muy útiles porque evitan repetir los sustantivos una y otra vez. Los párrafos siguientes le muestran cómo usar estos pronombres.

I gave a new coat to my mother. The new coat wasn't expensive but the new coat was very beautiful. My mother really liked the new coat. My mother thanked me. My mother said, "I can't believe that the new coat is my new coat."

Le dí una chaqueta nueva a mi madre. La chaqueta nueva no era cara pero la chaqueta nueva era muy linda. A mi madre le gustó de verdad la chaqueta nueva. Mi madre me lo agradeció. Mi madre dijo: "No puedo creer que la chaqueta nueva sea mi chaqueta nueva."

I gave a new coat to my mother. It wasn't expensive but it was very beautiful. My mother really liked it. She thanked me. She said, "I can't believe it's mine."

Le dí una chaqueta nueva a mi madre. No era cara pero era muy linda. A mi madre le gustó de verdad. Ella me lo agradeció. Ella dijo: "No puedo creer que sea mía."

Otro grupo de pronombres

En algunas oraciones, se usan dos pronombres para referirse a la misma persona o cosa.

I cooked dinner by myself. No one helped me cook dinner.
Preparé la cena yo mismo. Nadie me ayudó a preparar la cena.

They drove all the way to Denver by themselves. No one helped them drive to Denver.
Manejaron hasta Denver ellos mismos. Nadie les ayudó a manejar hasta Denver.

Los cinco sentidos

Los cinco sentidos son: **smell** (olfato), **taste** (gusto), **touch** (tacto), **sight** (vista) y **hearing** (oído).

smell	(to) smell	I can't smell it.
olfato	*oler*	*No puedo olerlo.*
taste	(to) taste	I can't taste it.
gusto	*saber*	*No me sabe a nada.*
touch	(to) feel	I can't feel it.
tacto	*sentir*	*No puedo sentirlo.*
sight	(to) see	I can't see it.
vista	*ver*	*No puedo verlo.*
hearing	(to) hear	I can't hear it.
oído	*oír*	*No puedo oírlo.*

También se usan otros verbos para describir algo relacionado con los sentidos.

smell	(to) smell	It smells good.
olfato	*oler*	*Huele bien.*
taste	(to) taste	It tastes sweet.
gusto	*saber*	*Sabe dulce.*
touch	(to) feel	It feels smooth.
tacto	*sentir*	*Es suave al tacto.*
sight	(to) look	It looks old.
vista	*parecer, verse*	*Parece viejo.*
hearing	(to) sound	It sounds awful.
oído	*sonar*	*Suena horrible.*

45

Éste es el texto completo del diálogo incluido en el video. Usted hará el papel del espectador. Si le hacen una pregunta personal, conteste usando información personal. Tenga en cuenta que las respuestas del espectador que le proporcionamos no son las únicas respuestas correctas.

Primer encuentro entre Tom y Dan

Dan	Hello, Kathy. Can I come in? *Hola, Kathy. ¿Puedo entrar?*
Kathy	Oh, sure, Dad. This is Tom. *Oh, claro, papá. Éste es Tom.*
Dan	It's nice to finally meet you, Tom. Kathy has told me a lot about you. *Me alegro de conocerte al fin, Tom.* *Kathy me ha hablado mucho de ti.*
Kathy	Oh, Dad. *Oh, papá.*
Tom	It's nice to meet you, too, Mr. Martin. *Yo también me alegro de conocerle, Sr. Martin.*
Dan	Kathy tells me that you are from the East. *Kathy me dijo que eres del este.*
Tom	Yes, sir, I am. But I have lived here for four years. *Sí señor. Pero hace cuatro años que vivo aquí.*

Dan   Does your family live in this area, also?
¿Tu familia también vive en esta zona?

Tom   Well, my older brother does. But my younger brother
lives in New York and my sister lives in Chicago.
My parents live in Boston.
*Bueno, mi hermano mayor, sí. Pero mi hermano menor
vive en Nueva York y mi hermana vive en Chicago.
Mis padres viven en Boston.*

Dan   Your parents must miss you.
Tus padres deben extrañarte.

Tom   Yes, but we talk all the time.
They call me on Saturday.
Last night, I called them.
*Sí, pero hablamos todo el tiempo.
Me llaman los sábados.
Yo les llamé anoche.*

Dan   That's good. Family relationships are important.
Muy bien. Las relaciones familiares son importantes.

Viewer   Yes, they are.
Sí.

Kathy   Dad, did I tell you that Tom is studying Spanish
three nights a week? He's too busy!
*Papá, ¿te dije que Tom está estudiando español
tres noches por semana? ¡Está tan ocupado!*

| Dan | He must be very busy. |
| | *Debe de estar muy ocupado.* |

| Viewer | Yes, he is. He's always busy. |
| | *Sí. Siempre está ocupado.* |

Kathy	I asked him to work with me last week
	on a video project, and he couldn't.
	La semana pasada, le pedí que trabajara conmigo
	en un proyecto de video y no pudo.

Dan	Work is good for you, Tom.
	Let me take both of you to lunch.
	El trabajo es bueno para ti, Tom.
	Déjenme llevarlos a ambos a almorzar.

| Kathy | Great! Let's go. |
| | *¡Fantástico! Vamos.* |

Lección 4

4 Notas

Le recomendamos que lea las palabras del vocabulario antes de ver el video correspondiente a esta lección. Éstas son las palabras más importantes de esta lección.

chef	*chef*
belated	*tardío(a), con retraso*
audio	*audio*
audio tape	*cinta, audiocasete*
report	*informe*
program	*programa*
smart	*listo*
(to) date	*salir con alguien*
(to) relax	*relajarse*
(to) invite	*invitar*
(to) congratulate	*felicitar*
(to) interrupt	*interrumpir*

Más vocabulario

individually	*individualmente*
wedding bells	*campanas de boda*

4 Clase

Apuntes

Practicar inglés todos los días

¿Cómo puede seguir practicando inglés? ¿Entender y comunicarse mejor?

Hay cosas que puede hacer usted solo.

> Escuche la radio o vea la televisión en inglés.
> Escuche audiocasetes en su automóvil o en el autobús.
> Lea el periódico en inglés.

Hay cosas que puede hacer con otras personas.

> Hable con alguien en inglés todos los días.
> Hable con un familiar o un amigo en inglés.
> Consígase una novia o un novio que sólo hable inglés.

Piense en las demás cosas que puede hacer para practicar inglés.

Éste es el texto completo del diálogo incluido en el video. Usted hará el papel del espectador. Si le hacen una pregunta personal, conteste usando información personal. Tenga en cuenta que las respuestas del espectador que le proporcionamos no son las únicas respuestas correctas.

Nos vamos de viaje

Tom	Hi, Amy! How are you?
	¡Hola, Amy! ¿Cómo estás?
Amy	Tom? Tom Cullen? I'm great! How are you?
	¿Tom? ¿Tom Cullen? ¡Estoy muy bien! ¿Cómo estás?
Tom	I'm fine. Amy, this is my girlfriend, Kathy Martin. Kathy, this is Amy Gordon.
	Estoy muy bien. Amy, ésta es mi novia, Kathy Martin. Kathy, ésta es Amy Gordon.
Amy	I know Kathy. We're neighbors. It's a small world, isn't it?
	Conozco a Kathy. Somos vecinas. ¡Qué pequeño es el mundo! ¿no?
Kathy	Hi, Amy. I didn't know you knew Tom.
	Hola, Amy. No sabía que conocías a Tom.

Amy	Well, I haven't seen him for months.
	Bill tells me that you are planning to travel to
	Latin America for the summer.
	Bueno, hace meses que no le veo.
	Bill me dijo que están planeando viajar a
	América Latina este verano.

Tom	Yes, that's true. I want to learn more Spanish,
	and practice it a little before the new school year.
	Sí, es verdad. Quiero aprender más español
	y practicarlo un poco antes del nuevo año escolar.

Kathy	A little! Tom is a serious student.
	He studies all the time.
	¡Un poco! Tom es un alumno serio.
	Siempre está estudiando.

Tom	Well, I have been serious lately.
	I really want to learn to speak Spanish well.
	Bueno, me lo he tomado en serio últimamente.
	Quiero aprender a hablar bien español.

| Amy | That's great. How do you find time to practice? |
| | *Eso está muy bien. ¿Cómo encuentras tiempo para practicar?* |

Tom	Well, I watch TV in Spanish every night.
	Sometimes, I try to read a Spanish newspaper.
	I'm even trying to teach Kathy Spanish.
	Bueno, veo la televisión en español todas las noches.
	A veces trato de leer un periódico en español.
	Hasta trato de enseñarle español a Kathy.

Amy   Good luck with your Spanish, Tom.
          Kathy, Tom, I wish both of you well.
          Te deseo suerte con el español, Tom.
          Bueno, Tom, Kathy, les deseo lo mejor.

Kathy and Tom   Thanks!
                    ¡Gracias!

Amy   Tom and Kathy are such nice people.
          Don't you think so?
          Tom y Kathy son personas tan agradables.
          ¿No cree usted?

Viewer   Yes,_____.
             Sí,_____.

Amy   I can't believe Tom and Kathy are dating!
          Can you?
          ¡No puedo creer que Tom y Kathy estén saliendo!
          ¿Y usted?

Viewer   _____.

V Notas

Aprendamos
Viajando

V

In this Travelogue we'll take a trip to San Francisco and see some of the Northern California coastline.

Let's start by heading north on Highway 1 —one of the most beautiful drives in the US. The view of the waves crashing and the smell of the ocean are wonderful.

This the San Luis Obispo de Tolosa Mission. It was built in 1772 by Father Junipero Serra. The Mission is at the heart of the city of San Luis Obispo and is still a Catholic Church. San Luis Creek runs through the Mission.

A little farther north on Highway 1 is Morro Bay, a small town of 10,000 people. There are many fisherman in Morro Bay. Morro Rock is very famous.

The last stop on the way to San Francisco is the town of Monterey. Monterey is famous for its Aquarium, Marina, and Cannery Row. Monterey has its own Fisherman's Wharf.

As the sun sets, let's finish the drive to San Francisco.

Northern California is the home of San Francisco—a rather small city of fewer than one million people.

San Francisco is surrounded by water. The Pacific Ocean forms the western edge and San Francisco Bay borders the city to the east.

It is a foggy, romantic city. Do you know what famous singer left his heart in San Francisco?

Vamos a ir en automóvil a San Francisco y veremos parte de la costa del norte de California.

Vamos en dirección norte por la ruta 1, uno de los paseos en automóvil más hermosos de los Estados Unidos. Es maravilloso ver cómo se rompen las olas y sentir el aroma del océano.

Ésta es la misión de San Luis Obispo de Tolosa, construida por el padre Junípero Serra en 1772. La Misión está en el centro de la ciudad de San Luis Obispo y sigue siendo una iglesia católica. El arroyo San Luis pasa por la misión.

Morro Bay, un pequeño pueblo de diez mil habitantes, está un poco más al norte en la ruta 1. Hay muchos pescadores en Morro Bay. Morro Rock (el morro) es un lugar muy famoso.

La última parada de camino a San Francisco es el pueblo de Monterey. Monterey es famoso por su acuario, su marina y Cannery Row. Monterey tiene su propio muelle de pescadores.

Terminemos el viaje a San Francisco al atardecer.

San Francisco está en el norte de California; es una ciudad relativamente pequeña de menos de un millón de habitantes.

San Francisco está rodeada de agua. El océano Pacífico forma el extremo oeste y la bahía de San Francisco bordea la ciudad al este.

Es una ciudad brumosa y romántica. ¿Sabe usted quién fue el famoso cantante que dejó su corazón en San Francisco?

San Francisco is famous for its skyline, cable cars, earthquakes and the Golden Gate Bridge—one of the most spectacular sites in America. The bridge was built in the 1930s. It took four years and $35 million dollars.

The beautiful towers of the Golden Gate Bridge are 750 feet tall and it is nearly two miles long. Our friends walked across the bridge, but we drove.

From the bridge you can see the tall buildings of the Financial District and the steep hills with the cable cars. Do you know why the cable car system was built in San Francisco?

Before automobiles, people went everywhere by horse carriage. It was very difficult for the horses to go up and down the hills safely. So, the same cable technology that was used in the famous gold mines was used to build a new transportation system that was better for horses and people!

When the cable cars were built, there were more than 500 cars and 100 miles of track. Today, fewer than 30 cable cars run on about 9 miles of track. Everyone loves the sound of the bells. Many tourist go places in San Francisco by cable car.

A favorite ride is from Union Square to Fisherman's Wharf. As one goes down Hyde Street, there is a wonderful view of the Bay. There's the Golden Gate Bridge again and there's Alcatraz.

San Francisco es una ciudad famosa por el perfil de sus rascacielos en el horizonte, por sus tranvías, terremotos y por el puente Golden Gate, uno de los lugares más espectaculares de América. El puente se construyó en los años treinta. La construcción duró cuatro años y costó treinta y cinco millones de dólares.

Las hermosas torres del puente Golden Gate tienen setecientos cincuenta pies de altura y el puente tiene casi dos millas de longitud. Nuestros amigos lo cruzaron caminando, pero nosotros lo hicimos en automóvil.

Desde el puente, se pueden ver los rascacielos del distrito financiero y las empinadas colinas en las que circulan los tranvías. ¿Sabe usted por qué se construyó la red de tranvías en San Francisco?

Cuando aún no existían los automóviles, la gente iba a todas partes en carruaje. Era muy difícil que los caballos subieran y bajaran las colinas sin peligro. Entonces, se usó la técnica empleada en las famosas minas de oro para crear una nueva red de transporte que resultó más práctica ¡para los caballos y las personas!

Cuando se instalaron los tranvías, había más de quinientos coches y cien millas de red vial. Hoy en día, hay menos de treinta coches circulando en unas nueve millas de vía. A todo el mundo le gusta el sonido de las campanas. Muchos turistas se desplazan en tranvía en San Francisco.

Uno de los recorridos favoritos es el que empieza en Union Square y va hasta el muelle de pescadores. Al bajar por la calle Hyde, se contempla una vista magnífica de la bahía; ahí está el Golden Gate otra vez y allí está Alcatraz.

Alcatraz, or "The Rock," is a small island that was America's most secure prison. We went to Alcatraz by boat. It took only 15 minutes. The guided tour of the prison was very interesting.

Here is Fisherman's Wharf. There are always lots of tourists here and there are many different things to do. People shop, eat and watch other people.

Now let's visit Chinatown. Here is a picture of the Dragon's Gate. The smell of Chinese food is everywhere. The shops sell unusual things. There are always people walking in Chinatown.

Haight-Ashbury is the center of hippie life. The "summer of love" is over but there are many memories of life in the 1960s.

This is Lombard Street. Can you guess its nickname? It is called "the Crookedest Street in the World".

The oldest building in California, Mission Dolores which was built in 1776, is in San Francisco. The Mission District is the center of Hispanic life in San Francisco.

Some of the city is old, but much of San Francisco is new. There are many tall modern buildings.

Let's end the visit to San Francisco in Golden Gate Park. There are 11 lakes in the park and several famous museums.

This is a good place to relax at the end of the day.

Alcatraz, o "la roca", es una pequeña isla que fue la prisión más segura de América. Fuimos a Alcatraz en bote. Tardamos sólo quince minutos. La visita de la prisión fue muy interesante.

Aquí está el muelle de pescadores. Aquí hay siempre muchos turistas y se pueden hacer muchas cosas. La gente compra, come y observa a los demás.

Ahora, vamos a visitar Chinatown. He aquí una fotografía del Portal del Dragón. El aroma de la comida china está en todas partes. Las tiendas venden cosas insólitas. Siempre hay gente caminando en Chinatown.

Haight-Ashbury; el centro del mundo "hippie". El "verano del amor" ya se ha terminado pero hay muchos recuerdos de los años sesenta.

Ésta es la calle Lombard. ¿Puede adivinar cuál es su apodo? La llaman la calle más torcida del mundo.

El edificio más antiguo de California, la misión Dolores, que fue construido en 1776, está en San Francisco. El distrito de la misión es el centro de la vida hispana de San Francisco.

San Francisco tiene edificios antiguos, pero gran parte de la ciudad es nueva. Hay muchos rascacielos modernos.

Finalicemos nuestra visita a San Francisco en el parque Golden Gate. Hay once lagos en el parque y varios museos de renombre.

Éste es un buen lugar para relajarse al final del día.

Notas

Aprendamos
Cantando

Notas

I Walk the Line

Bienvenido a **Aprendamos Cantando**, la sección de Inglés sin Barreras donde se aprende el inglés de la vida diaria escuchando y cantando conocidas canciones.

I Walk the Line es un ejemplo de la música **country** (del campo, campestre), un género musical que se creó en los **Appalachian Mountains** y en el oeste estadounidense. Como el nombre indica, las canciones **country** relatan acontecimientos de la vida diaria del campo en los Estados Unidos.

Música y Letra
John R. Cash

Compuesta e interpretada por Johnny Cash, **I Walk the Line**, fue la primera canción country que logró entrar en la lista de los discos más vendidos del país.

I Walk the Line contiene varias expresiones idiomáticas de gran interés, empezando por su título. En su sentido literal, esta frase significa "yo camino sobre la línea", pero aquí significa: "yo me porto bien" o "yo me comporto".

La música y letra de las canciones se encuentran en los videos. Localice en su video la sección titulada "Aprendamos Cantando".

Una palabra que ya le resultará familiar es el verbo **to keep**.

- **I keep a close watch** significa "yo vigilo de cerca".
- **I keep my eyes wide** open significa "yo mantengo los ojos bien abiertos".

67

La expresión **is through** significa "se termina" o "se acabó". A **day is through**, significa "un día se termina".

Aunque el cantante dice **You got a way** (tú tienes una manera), la frase correcta es **You have got a way**.
En el inglés informal, la omisión del verbo auxiliar **to have** es frecuente.

 Si bien estas expresiones son comunes en el inglés hablado, no son gramaticalmente correctas, Al escribir, es importante no cometer errores de este tipo ya que estos denotan un bajo nivel cultural.

Si busca la palabra **true** en el diccionario, comprobará que significa "verdad". Sin embargo, esta palabra tiene un segundo significado: fidelidad.

* **I find it easy to be true** significa "encuentro fácil serle fiel".
* **I'm true to my beliefs** indica "soy fiel a mis creencias".

Finalmente, recuerde las contracciones que ya hemos visto:

* **I'll (I will)**
* **I'm (I am)**
* **You're (You are)**

¡Disfrute con I Walk the Line!

Me porto bien

Mm... Vigilo muy de cerca
Este corazón mío
Mantengo los ojos bien abiertos
Todo el tiempo
Mantengo libres
Los lazos que unen
Porque eres mía
Me porto bien

Mm... Encuentro
Muy, muy fácil ser fiel
Me encuentro solo
Al final de cada día
Y admito
Que soy un tonto por ti
Porque eres mía
Me porto bien

Mm... Tan cierto como que
la noche es oscura
Y el día es claro
Te tengo en mi mente
Día y noche
Y la felicidad que conozco
Demuestra que es cierto
Porque eres mía
Me porto bien

I Walk the Line

Mm... I keep a close watch
On this heart of mine
I keep my eyes wide open
All the time
I keep the ends out
For the tie that binds
Because you're mine
I walk the line

Mm... I find it
Very, very easy to be true
I find myself alone
When each day is through
And I'll admit
That I'm a fool for you
Because you're mine
I walk the line

Mm... As sure as
night is dark
And day is light
I keep you on my mind
Both day and night
And happiness I know
Proves that it's right
Because you're mine
I walk the line

Tienes una manera
De mantenerme a tu lado
Me das motivo para amar
Que no puedo esconder
Sé que por ti
Hasta trataría de darle vuelta
a la marea
Porque eres mía
Me porto bien

Mm... Vigilo muy de cerca
Este corazón mío
Mantengo los ojos bien abiertos
Todo el tiempo
Mantengo libres
Los lazos que atan
Porque eres mía
Me porto bien.

Mm... You got a way
To keep me on your side
You give me cause for love
That I can't hide
For you I know
I would even try to turn
the tide
Because you're mine
I walk the line

Mm... I keep a close watch
On this heart of mine
I keep my eyes wide open
All the time
I keep the ends out
For the tie that binds
Because you're mine
I walk the line.

Curso
de Audio

A

Curso de Audio

Unidad 19: Pidiendo consejo médico

A   International Clinic.
Clínica Internacional.

B   May I speak with Dr. Stim?
¿Puedo hablar con el Dr. Stim?

A   May I ask who's calling?
¿Quién llama, por favor?

B   Yes, it's Laura Andara calling about my father.
Sí, soy Laura Andara, llamo en relación con mi padre.

A   Oh, yes. Would you hold a moment, Miss Andara? I'll try to connect you.
Ah, sí. ¿Puede esperar en la línea un momento, Srta. Andara? Trataré de comunicarla.

C   Dr. Stim speaking. How can I help you, Miss Andara?
Habla el Dr. Stim. ¿En qué puedo ayudarla, Srta. Andara?

A   I'm sorry to trouble you, but I'm worried about my father's breathing. It seems most irregular.
Siento molestarle, pero estoy preocupada por la respiración de mi padre. Parece muy irregular.

C   When did you first notice it?
    ¿Cuándo se dio cuenta por primera vez?

A   Yesterday evening.
    Ayer por la noche.

C   Sounds like his heart problem again.
    Parece que es su problema de corazón otra vez.

A   That's what I feared.
    Eso es lo que me temía.

C   Stay with him, Miss Andara, and I'll get an ambulance to you soon as I can.
    Quédese con él, Srta. Andara, y yo le enviaré una ambulancia en cuanto pueda.

A   Thank you. Goodbye.
    Gracias. Adiós.

C   Goodbye.
    Adiós.

Variantes y Combinaciones

Can I speak with Dr. Stim?
¿Puedo hablar con el Dr. Stim?

calling about her father
llamando en relación con su padre

Unidad 20: Llamando por un anuncio de empleo

A   Hello, good morning. Is this James Lincoln Associates?
Hola, buenos días. ¿Hablo con Asociados de James Lincoln?

B   Good morning. Yes, James Lincoln Associates. Martha Phillips speaking. How can I help you?
Buenos días. Sí, Asociados de James Lincoln. Habla Martha Phillips. ¿Cómo le puedo ayudar?

A   I'm calling in reply to your ad for a part-time accounting position. Could you give me further details?
Llamo en respuesta a su anuncio para el puesto de contador de media jornada. ¿Podría darme más detalles?

B   Of course, I'd be pleased to. We're looking for someone for our accounting department between 9 and 2 daily, Monday through Friday.
Por supuesto, será un placer. Estamos buscando a alguien para nuestro departamento de contabilidad que trabaje de 9 a 2 todos los días, de lunes a viernes.

A   Then it's five hours a day, twenty-five hours a week. Could I ask you what hourly rate you're offering?

Entonces son cinco horas al día, veinticinco horas a la semana. ¿Puedo preguntarle cuál es el sueldo por hora que están ofreciendo?

B   Fifteen dollars an hour. Would you like to set up a time to come in and talk about it?

Quince dólares la hora. ¿Le gustaría concertar una cita para venir y hablar de ello?

A   Thank you, yes. When would be convenient for you to see me?

Sí, gracias. ¿Cuándo le convendría verme?

B   Tomorrow at ten?

¿Mañana a las diez?

A   That would be fine. Can you tell me your exact location?
Está bien. ¿Me puede dar su dirección exacta?

B   Yes. It's 226 Sunset Boulevard, the Concord Building.
We're on the second floor. Come to suite 212. And your name?
Sí. Es el 226 del Bulevar Sunset, en el Edificio Concord.
Estamos en el segundo piso. Venga a la suite 212. ¿Y cuál es su
nombre?

A   Mario Blanco. Thank you. Ten o' clock tomorrow, then.
Goodbye.
Mario Blanco. Gracias. Mañana a las diez, entonces.
Adiós.

B   Goodbye.
Adiós.

Notas

Notas

Notas

Notas

Notas

Notas

Notas

Notas

Notas

Notas

Notas

Notas

Notas

Notas